Si PETIT...

JONATHAN BENTLEY

Texte français d'Isabelle Montagnier

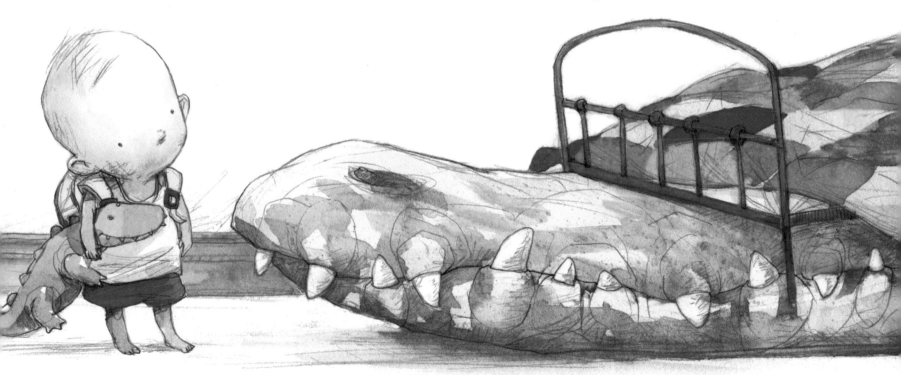

Éditions SCHOLASTIC

Je suis si petit.

J'essaie d'être **grand**.

Mais ça ne marche jamais.

Si petit.

Petites jambes,

petites mains,

petite bouche.

Si seulement j'avais de **grandes jambes** comme une girafe, je pourrais gravir la colline plus vite que mon frère... et gagner la course.

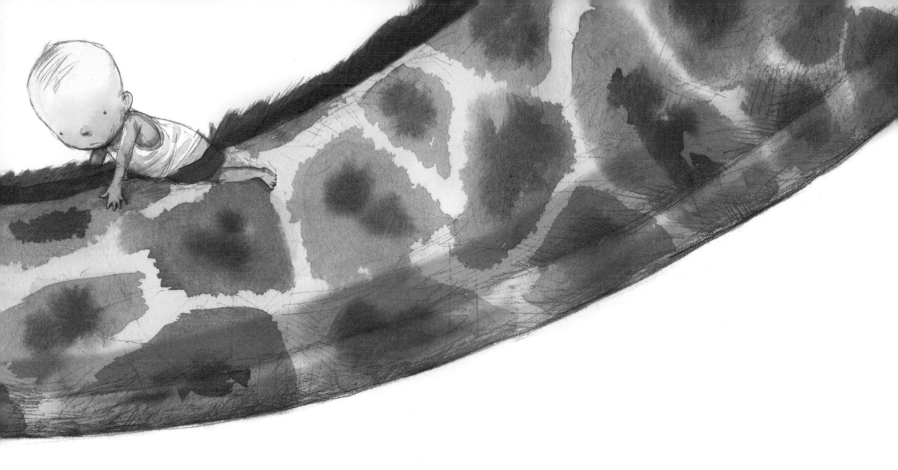

Mais alors, je serais trop grand pour m'asseoir dans la remorque.

Si seulement j'avais de **grandes mains** comme un gorille,
je pourrais ouvrir le bocal de biscuits

et en manger plein.

Mais alors, je serais trop
grand pour aller les manger
dans ma cabane.

Si seulement j'avais une **grande bouche** comme un crocodile,

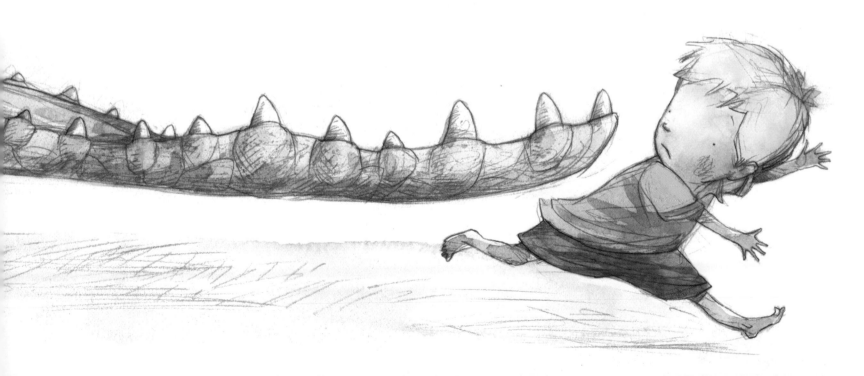

je pourrais dire à mon grand
frère d'aller se coucher
de bonne heure.

Mais alors, qui me raconterait des histoires drôles après le souper?

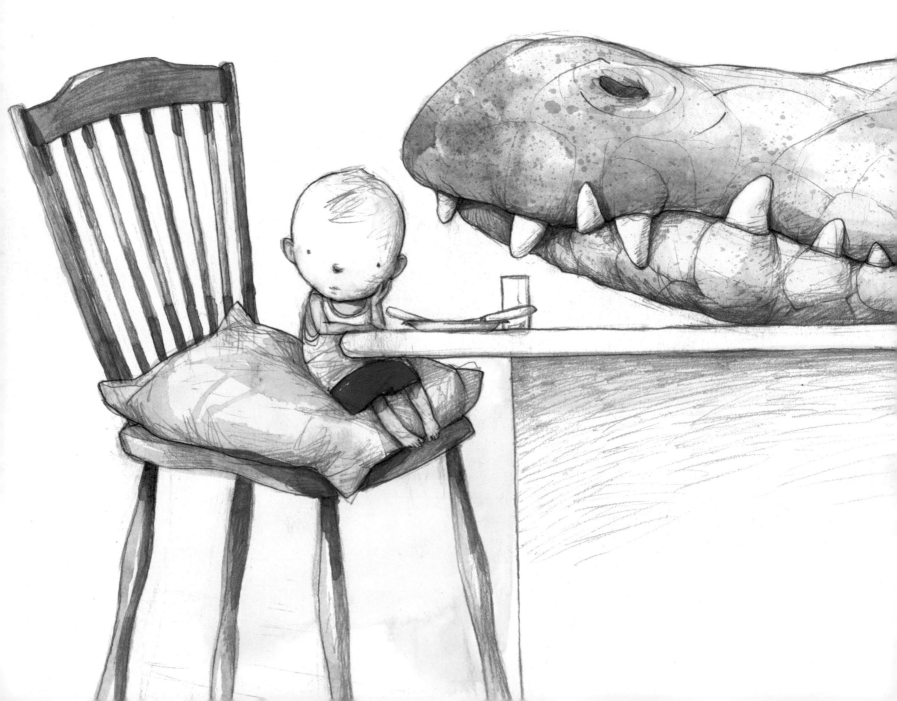

Si seulement j'étais **grand** comme un **monstre**,
je pourrais...

Plus vite! Plus vite, petites jambes!

Tenez bon, petites mains.
Pas un bruit, petite bouche.

Je suis
si petit.

Petits pieds, petites mains, petite bouche.

Parfaitement petit!

Pour ma famille — JB

Catalogage avant publication de Bibliothèque et Archives Canada

Bentley, Jonathan

(Little big. Français)

Si petit... / Jonathan Bentley ; traductrice, Isabelle Montagnier.

Traduction de: Little big.

ISBN 978-1-4431-3498-9 (couverture souple)

I. Montagnier, Isabelle, traducteur II. Titre. III. Titre: Little big. Français.

PZ23.B457Si 2014   j823'.92   C2013-907970-X

Édition publiée par les Éditions Scholastic, 604, rue King Ouest, Toronto (Ontario) M5V 1E1, avec la permission de Little Hare Books.

5 4 3 2 1   Imprimé en Chine   CP131   14 15 16 17 18

Les illustrations de ce livre ont été réalisées à l'aquarelle, au crayon et avec des textures numérisées.
Conception graphique : Hannah Robinson, Xou Creative